Duérmete, angelito mío

PaRragon

Bath • New York • Singapore • Hong Kong • Cologne • Delhi
Melbourne • Amsterdam • Johannesburg • Shenzhen

Duérmete, angelito mío,
y no llores más.
La primavera ya llega
y enseguida pasará.

Te contaré que en primavera,
el campo de flores se llena.

Y te hablaré de las violetas
para que no olvides,
para que no olvides,
mi niño, la primavera.

Duérmete, angelito mío,
al son del zumbido
de los bichitos que vuelan con brío.
En verano, explosión de color,
te contaré que están las margaritas en flor.

Te hablaré de las luciérnagas
para que no olvides,
para que no olvides
que las noches de verano ya llegan.

Duérmete, angelito mío,
el otoño ya llegará.
Y en la noche helada,
las aves emigrarán.

Y el aroma de las dalias nos recordará
que el otoño pronto vendrá.

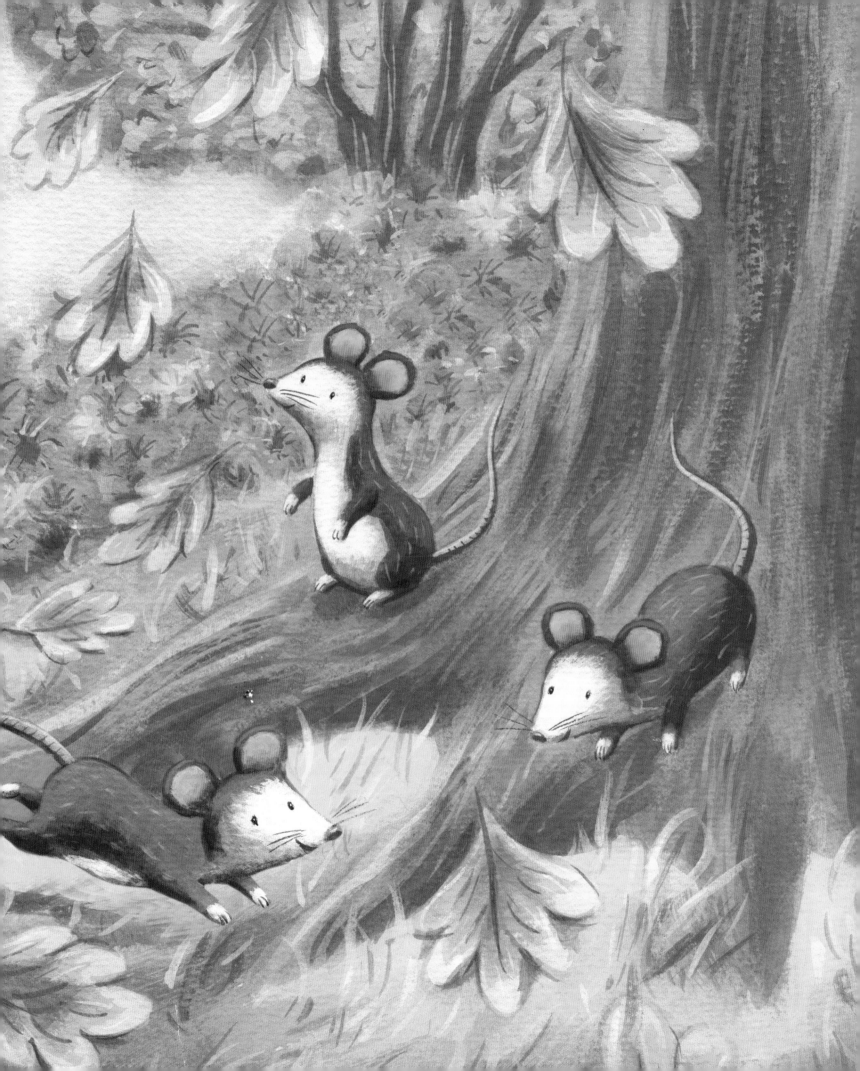

Te hablaré de las hojas y bayas
para que no olvides,
para que no olvides
que los días de otoño no acaban.

Duérmete, angelito mío.
El campo está en silencio,
y la nieve cubre el bosque en invierno.

Mientras cae la nieve, te contaré bajito
cómo en el bosque juegan los conejitos.

Te hablaré de los árboles, que siguen dormidos,
para que no olvides,
para que no olvides
que el hielo y la nieve aún no se han derretido.

Duérmete, angelito mío, y te cantaré
del verano, otoño, invierno y primavera.
De bichitos, luciérnagas, frío y violetas,
de estrellas y silencio, de ellos te hablaré.